se trouve nul

Série dirigée par Dominique de Saint Mars

© Calligram 2007
Tous droits réservés pour tous pays
Imprimé en Italie
ISBN : 978-2-88480-362-5

Ainsi va la vie

Max
se trouve nul

Dominique de Saint Mars

Serge Bloch

CALLIGRAM

CHRISTIAN GALLIMARD

8

10

12

Tu peux le garder !
J'en ai plus besoin !
Je vais arrêter l'école.

À cause
du penalty ?

Il n'y a pas
que ça...

Oublie-moi, Jérôme !
Tu mérites mieux que
moi comme meilleur
copain !

T'es ouf ?!

Je suis
pas ouf.
Je suis nul.

15

C'est vrai que t'es pas TRÈS TRÈS fort en orthographe... Moi, je suis nul en maths, et je dis rien !

Je dois être premier de la classe ! Je n'y arriverai jamais ! Je suis nul...

Qu'est-ce que je lui dis ?

T'ES NUL DE PENSER QUE T'ES NUL !...

TU SAIS FAIRE LE POIRIER COMME PERSONNE !

16

Trop facile, le poirier, tout le monde peut faire ça !

Il est trop fort !

PENDANT CE TEMPS-LÀ...

J'ai prévenu presque tout le monde. On se retrouve dans une demi-heure...

18

19

Je t'ai retrouvé grâce à Pluche ! Tu viens, Max, le dîner est prêt...

22

Bonne nuit, mon loulou, mon tout petit bébé d'amour !

Bonne nuit, mon fils préféré que j'aime !

Tu sais, Max, je suis très heureuse de t'avoir comme frère...

Tu m'as pas toujours dit ça.

Mais je l'ai toujours pensé !

Même quand t'es fâchée avec moi ?

Même...

Z

Qu'est-ce que tu fais là ?

Je n'arrive pas à dormir... Je peux vous parler ?

Moi aussi ça m'est arrivé de me sentir nulle*... Depuis que vous me faites confiance, ça va mieux ! Faites pareil avec Max ! Les bisous, ça ne suffit pas !

Écoute, Lili, on est tous fatigués, on en reparlera. Va au lit maintenant !

Bonne nuit !

* Retrouve Lili dans *Lili se fait toujours gronder.*

27

29

31

32

33

35

36

38

Mais Max est arrivé troisième, lui !

Moi, à son âge, c'était pareil, j'étais toujours dans les dix premiers !

Mon héros !

40

Et toi...

Est-ce qu'il t'est arrivé la même histoire qu'à Max ?

Tu le penses ou on te l'a dit ? Tu le caches ou tu en parles ?
Tu es triste ? Agressif ? Ou tu redoubles d'efforts ?

Tu as peur de rater ce que tu fais ? Tu penses à tes échecs ?
Les autres sont toujours meilleurs que toi ?

As-tu peur de décevoir tes parents ?
D'être jugé par eux ? Par ta maîtresse ? Par tes copains ?

42

Tes parents ne te font pas confiance ? Ils font les choses à ta place ? Ou au contraire, ils te laissent trop décider ?

Tes parents te demandent des choses trop difficiles ? Tu penses que tu ne feras jamais rien aussi bien qu'eux ?

Tes parents ne sont jamais contents de toi ? Te traitent de bon à rien ? Ou ils ne s'intéressent pas à ce que tu fais ?

Tu t'es déjà senti nul ? Tu t'en es sorti comment ?
Un geste ou une parole t'ont redonné confiance en toi ?

Tu sais qu'on peut pas être bon en tout ? Tu fais du mieux
que tu peux ? Tu es tenace ? Tu prends le risque de rater ?

Tu penses que tu as de la chance, tu ne boudes pas, tu n'es
pas susceptible, tu agis, sais t'adapter, demander de l'aide ?

Tu sens que tu corresponds aux attentes et aux rêves de tes parents ? Tu te sens aimé, même si tu n'es pas parfait ?

Tes parents te font confiance, remarquent tes efforts, t'aident à comprendre tes erreurs, à t'y prendre autrement ?

Ils t'apprennent ce qui est permis et interdit, le bien et le mal ? As-tu confiance en eux ? Tiennent-ils parole ?

Petits trucs Max et Lili
pour ne pas se sentir nul

- Rappelle-toi toutes les réussites de ta vie, en foot, en ordi, en jeu, en amitié, en amour !
- Si t'es nul en quelque chose, t'es pas forcément nul en tout !
- Tu as le droit à l'erreur. L'erreur est humaine, en latin : errare humanum est !
- Dès que tu commences à te sentir nul, ne dégringole pas, réagis, parles-en à ceux en qui tu as confiance !
- Ne reste pas dans ton coin, trouve un autre nul et fais un club !
- Essaie de comprendre tes erreurs, rien que pour ne pas les refaire !
- Si tu rates quelque chose, ce n'est pas grave : tu réussiras la prochaine fois !
- C'est aussi important d'apprendre que de réussir !
- Lance-toi des petits défis à ta mesure : tu prendras l'habitude de réussir !
- Parle avec tes parents pour savoir ce qu'ils attendent de toi !
- Ne te compare pas aux autres : personne n'est mieux ni moins bien que toi !
- Si on se moque de toi, ne t'en fais pas : c'est nul de se moquer des nuls !
- Vouloir ne plus être nul, c'est déjà ne plus l'être.